풀꽃들의 말씀

풀꽃들의 말씀

나승렬 시집

문학들

시인의 말

어린 시절 시골집 마당 한편에는 작은 화단이 있었습니다. 어머니의 화단입니다. 어머니가 꽃을 좋아하셔서 작은 화단에는 달리아, 백합, 상사화, 해당화, 참나리, 국화, 자목련, 삼잎국화들이 철 따라 피어났습니다. 어린 시절 꽃들은 나의 정서가 되었습니다.

학교생활을 하면서 교정에 들꽃 화단을 만들고 아이들과 들꽃반 동아리 활동을 하였습니다. 세상이 들꽃 화단 같다는 생각을 하면서 아이들을 지도하고 사진을 찍고 일상을 조금씩 시에 담아 보았습니다. 이 땅의 들꽃들은 친구이기도 하였고 스승이기도 하였고 어머니이기도 하였습니다. 그리고 아이들은 가장 아름다운 꽃들이었습니다.

많이 부족한 졸작이어서 부끄럽지만 60이 훨씬 넘어 생애 처음 한 권의 시집을 냅니다. 그동안 내 삶을 지탱해 주는 데 시 읽기와 쓰기가 큰 역할을 해 주었다고 생각합니다.

작품 배열은 총 4부로 하였습니다. 얼추 꽃들이 피어난 시기를 기준으로 1부(봄), 2부(여름), 3부(가을), 4부(아이들과 삶)로 구분하였습니다.

그동안 옆에서 격려해 주고 함께해 준 친구, 지인들이 고맙습니다. 식구들은 항상 나의 힘이 되었습니다. 세심하게 배려해 주신 문학들 송광룡 대표님, 좋은 발문을 써 주신 가슴 따뜻한 김경옥 시인께 크게 감사드립니다.

2020년 여름

나승렬

차례

제2부

제3부

제4부

제1부

풀꽃들의 말씀

하루하루
쉽지 않은 것들 암초처럼
숨어 있고 막아서고 달려든다
생각해 보면 항상 길은 순탄하지 않았다

그냥 살아요
풀들이 밟히면서 깨달은 것
괜찮아요 밟아도 괜찮아요
그래도 꽃 피우며 향기를 내어 주는 풀꽃들
토끼풀, 민들레, 개망초, 이름도 기억 못 할 수많은 꽃들이
하는 말씀
그냥 살지요
밟히면 밟히고 바람 불면 바람 따라
길에 태어난 걸 어떡해요
꽃씨 하나 멀리 보내면 돼요
풀꽃들의 말씀이 들리기 시작하는 날.

너도바람꽃

남도 후미진 곳
두문동 찾아든 사람들처럼 모여
낮게 낮게 꽃 핀다

살랑이는 봄바람 어쩔 수 없어
숨어 사는 처지에도
낮게 낮게 꽃 핀다

숨어 사는 천년
제 이름도 잊어버린 꽃들
어느 날 찾아든 나그네
봄바람 코끝 스치듯
너도 바람꽃이라 이름 붙였다.

흰털괭이눈

보지 않으려고
눈 감아 버렸건만
보아야 할 것들 아직 너무 많다

가려져 숨겨진 것들
영영 버려져야 할 것들 난무하고
오히려 남아야 할 것들 버려지는 시대

예리한 눈빛으로 보지 않고서는
아예 놓쳐 버릴 것들
절대 용서할 수 없는 것들

확실하게 찾아내기 위해
야물게 야물게 벌어지는
이 낮은 땅 새로운 눈들의 진하디 진한 응시.

찔레꽃 필 때마다

그 자리에 멈추고 싶은
진한 향기 만났지요

허다한 것들 끌어당기는
한 존재의 실상이 궁금했지요

보이지 않는 뿌리는
땅속 바위틈 가리지 않았을 거예요

줄기마다 사나운 가시는
찔레꽃 향기 깊어진 원인이지요

가시로 무장하던 첫 시절
거부하지 않고 가시를 품었지요
대신 꽃으로 향기로 피어났지요

우리들 삶
찔레꽃으로 말하면 되겠지요

녹마른 삶
맑은 향기로 흐르면 되겠지요

탁하고 격한 것들
먹구름 되어 몰려오면
찔레꽃 삶의 종결,
그 향기 생각하면 되겠지요

그 자리에 주저앉아
깊이깊이 뿌리내리면 되겠지요.

만주바람꽃

압록강을 건넜어요
대동강을 건넜어요
예성강, 임진강, 한강도 건넜어요
금강 건널 때는
세찬 바람 하마터면 서해로 영영 잠길 뻔했었어요

그리운 당신 찾아 예까지 내려왔어요
함께할 날 기다리며
여기 바위 틈새 뿌리내렸어요

혹독한 겨울 견뎠어요
땅속 깊이 뿌리마다 그리움 모았어요

오늘 당신 오실 것 같은 설렘
꽃망울 몇 개 맺었어요
당신 눈길 닿으면 터뜨릴
꽃잎 몇 장 곱게 키웠어요

봄이라고 결코 꽃잎 열지 않겠어요

당신 발자국 소리, 따스한 눈빛 닿을 때만

터트릴 거예요

눈물 방울방울 맺히며 터트릴 거예요.

불갑산 노루귀

아직도 겨울이라고 말하지 말아요
봄이 오려면 멀었다 말하지 말아요

가슴으로 한번 느껴 보아요
발바닥 실핏줄로 느껴 보아요

켜켜이 쌓인 낙엽
일어나는 소리 한번 들어 보아요

하지만 낙엽 활짝 들추지는 말아요
아직은 여전히 쌀쌀해요

추운 겨울 힘든 것들 위하여
노력하고 있어요
솜털 보송보송 노력하고 있어요

햇살처럼 곱게 곱게 피어
삭막한 것들

한때나마 위로하고 싶어요

저를 좋아한다면
제발 주변 낙엽 청소하지 말아요.

중의무릇

산이 있어 꽃이 있지요
꽃이 있어 당신이 있지요
당신이 있어 내가 있지요
스님, 꽃
이렇게 피어나는 날
무소유
이렇게 꽃으로 피워 두시고
당신,
처음으로 돌아가시는 길.

코딱지나물

혼자 있을 때
그 시원함에 빠져
검지 손가락 후벼 깊숙이 큼직한 놈 잡았는데
너무나 오져 막 긁어내려는데

누군가에게 그 장면 들켜 버렸을 때
확~ 창피해서 얼굴 막 빨개지는데

온통 빨개진 볼따구에 꽃밭 하나 생겨나고
무슨 난리가 난 것처럼
붉게 꽃 뭉테기로 터져 버린 날

밭둑에 나가 보니
영락없이 코딱지 같은 이파리들 위로
광대 모양 꽃 피우는 큰 잔치 하나 열렸네.

큰괭이밥

큰괭이밥을 볼 때는
꼭 이파리를 보세요

마치 단발머리 단정한
여중생 같은 모습이지요

오늘 미장원에 들러
머리를 잘랐답니다

사람들 "미장원에 갔다 왔냐" 하며
놀려 댑니다
단발머리 예쁘다고 자꾸 놀립니다

큰괭이밥
너무 부끄러워서
얼굴이 자꾸 빨개지려고 해
결국 꽃을 피우고 말았지요.

길마가지

이른 봄 산길 간다네
봄 아직 일러 진달래도 피지 않은 길

당신 가신 길
저승길이 이렇게 벅찬 길일까

고개 들어 하늘 우러르는 눈썹 스치며
막아서는 꽃대 하나 있다네

달큼한 향기 내어 주며
'가지 마라 가지 마라' 막아서는
길마가지꽃 드문드문 피었다네.

민들레 옮겨심기

강화도 초지진 옆길 지나가다
대포 소리보다 더 큰 기쁨 느꼈습니다

병인년 신미년 생각하면 슬픔도 아닙니다
더더욱 분노도 아닙니다
어찌해 볼 수 없는 절망만이 남습니다
다 쓰러지고 포기한 채 살아온 세월
살다 보니 그냥 아무렇지 않은 줄만 알았습니다

온 천지 가득 서양 민들레 피었습니다
우리 가는 길 어디든지 노오란 절망만큼
아름답게 피었습니다

강화도 초지진 옆 신작로 지나가다
하얀 꽃잎 보고 멈추었습니다

꽃받침 살펴보니 우리 민들레 분명합니다
한참 동안 나는 바다를 보며 울었습니다

이럴 때 보는 살아남음의 의미는
죽음보다 크다는 걸 알았습니다

야삽 꺼내 들고 민들레 몇 뿌리 조심조심 캐냅니다
남쪽 땅에 백의 같은 꽃잎 펼쳐 주길 바라면서
서너 뿌리 캐내어 흙과 함께 봉지에 담아
흠뻑 물 적십니다

수백 리 길 달리고 달려,
민들레 꽃잎 같은 사람들 사는 곳
하얀 민들레 세 뿌리
이곳 황토 땅에 다시 묻습니다

민들레, 더디 오는 새 봄날 기약하며
아픈 몸 흔들어… 후– 후–
수많은 씨앗들 멀리멀리 날렸습니다.

깽깽이풀

어찌하여 깽깽이풀인가요?
봄철 씨앗 뿌리느라 농촌 일 바빠 죽겠는데
저 혼자 깨갱거린다고 깽깽이풀인가요?

아무래도 깨갱거린다고 보기에는
세상에서 이처럼 고운 꽃 빛깔
어디 있나요?

꽃 피어 봄바람에 살랑거리는데
어디선가 들리는 깨갱이는 소리

이리 깨갱 저리 깨갱
얻어맞아 언저리 찌그라진 양푼 모양

이제 보니
깽깽이풀 이파리 소리 듣고
당신 이렇게 이름 지으셨군요.

큰구슬붕이

작은 구슬들 또르르
당신 마지막 안식처 잔디밭에서
구른다

더 크고
구슬 색깔 진해서
큰구슬붕이 되었나

봄날 햇볕 한 줌
잠시 구슬 속에 쉬는 사이
구슬 밖으로 반짝반짝 날개 돋쳤다.

홀아비꽃대

만덕산 송산골
한때 피맺힌 절규로 가득했다지요

아무 죄도 없는 사람들
그냥 쏘아 죽였다지요

저편 옷 입고 내려온 사람들 향해
만세! 만세! 부르며 환영한 사람들
우리 편이 다다다다… 모두 죽였다지요

이편 옷 입고 나타나도
살려고 만세! 만세! 불렀겠지요

그때 죽어 홀아비 된 영혼들

지금까지 만세! 만세! 부르며
봄만 되면 돌밭 사이사이
피어나고 있다는 설운 이야기지요.

반디지치의 봄

반디지치꽃 보던 날
진한 보랏빛이 너무 예뻤습니다

이름 모를 무덤가에서
반디지치 만나던 날
그 오묘한 꽃 모양에 넋을 잃고 말았지요

배고픈 작은 생명체가
아마 꽃잎 조금 떼어 먹었을 것입니다

반디지치
아프지만 꾸욱 참고
꽃잎 조금 떼어 먹으라 하였을 것입니다

그리고 반디지치
다음 해 태어날 새 생명을 잉태하였을 것입니다.

솜방망이

당신 그리워
그곳에 가면
이렇게 오시는군요

가슴 두근두근
방망이질로
이렇게 오시는군요

마른 풀잎마다
겨울 끝 봄볕 되어
이렇게 오시는군요

다독다독
맑은 솜털로
이렇게 오시는군요

'괜찮다 괜찮다'
노란 꽃 예쁘게 피우시며

이렇게 오시는군요,

어머니!

떡쑥이란 이름

오늘 마당에 피어나는 떡쑥을 보았습니다
어린 시절
어머니와 함께 들에 나가
털 보송보송한 이 쑥을 뜯었지요

이 쑥 깨끗하게 씻어 말려
어느 날 어머니
쑥떡을 하였지요

이 집 저 집
떡 심부름하며 마구 신이 났었지요

오늘 아침 떡쑥 보니
먼 길 가신 어머니
떡쑥의 꽃으로 웃고 계시네요

갑자기 방울방울
떡쑥꽃 같은 눈물 솟아나려 하여

꾹 참았지요.

앵초

삶이 힘들고 외로울 때
당신은 나의 비상구다

세상 막막하고 어두울 때
당신은 나의 비상구다

당신이 존재한다는 것
나 비상구 하나 갖고 있다는 것

험한 산속 길 잃었을 때
"여기요 – 여기요–"

황홀하게 피어나는 앵초 같은 사람
당신은 언제나 나의 비상구다.

설앵초

왜 그렇게 작아졌느냐
험한 바위 공룡능선 내려올 때야
비로소 깨닫는다

크다는 것이 오히려 공허하다는 것
높게 살려면 작아져야 한다는 것

때로는 눈보라 치고
때로는 상고대 혹독하게 덮여도
진하디 진한 꽃 피울 수 있다는 것

그리운 하늘 가까이 가서
어떤 바람도 품 안에
끌어안고 사랑할 수 있다는 것.

이팝나무 아래서

이 봄 당신 앞에 서면
침묵하고 싶다
당신 걸어가는 길목에서
오래된 이야기 듣고 싶다
긴 겨울 건너오며 준비한
봄 길에 뿌릴 사연 하나 듣고 싶다
보릿고개 시절 옛이야기도 듣고 싶고
시장주의 난세에 할 일도 듣고 싶다
온몸 바쳐 하얀 꽃으로 불태우는 당신 앞에서
오로지 당신의 말씀만 듣고 싶다
바람 불고 비가 오는 날도
항상 꽃으로 화답하는 당신 앞에서
오로지 침묵하면서 당신의 낮은 목소리 듣고 싶다
기나긴 진보의 역사에도
보릿고개 여전히 상징으로 남아 있는 세상
해가 바뀌어도 변함없는 당신 앞에서
진정한 자유에 대해 듣고 싶다
당신이 낮은 바닥에 뿌리는 눈부신 꽃길 보며

우리 모두의 절망에 대한 해답을 듣고 싶다
당신 걸어온 기나긴 세월 동안
가슴에 묻어 둔 한 알 희망에 대해 들으면서
황량한 내 가슴에도
당신이 남겨 둔 튼튼한 씨앗 하나 심고 싶다.

하늘매발톱

하늘에 있어야 하는 것들이
땅으로 내려왔다
하늘을 맴돌며 살아야 하는 것들이
땅으로 왔다

창공으로 힘차게 솟구쳐야 하는 것들이
낮고 낮은 땅으로 내려왔다
큰 날갯짓하며 세상을 굽어봐야 하는 것들이
땅에 뿌리를 묻었다

그들이 죽은 것이다

하지만 어느 봄날 보았다,
부활을 꿈꾸는 수많은 발톱들을

하늘빛으로 솟아오르는
황홀한 밥톱들의 비상을.

졸방제비꽃

작다고 하지 말아요
나보다 작은 제비꽃도 있어요
콩제비꽃 보아요

꽃이 작다고 말씀하지 말아요
당신 졸방이란 말 붙이셨지만
자세히 한번 보아요

꽃이 바라보는 거리를 보아요
하늘빛으로 피어나는 색깔 보아요
멀리 산 아래
마을도 비출 수 있어요
멀리 하늘도 비출 수 있어요

졸방제비꽃이란 이름
이제 정이 들어 버렸어요.

금낭화

세상에서 가장 아름다운 주머니
어느 새악시의 가슴속 주머니가 꽃이 되었다

주머니 속에 넣어 둔 지극한 마음이
어느 날 산으로 갔다
다시는 돌아오지 못할 그대 찾아
산으로 갔다

말 못 하고 꼬옥 넣어 묶어 두었던
주머니 속 사랑을 주렁주렁 매달고
이제 그대의 가슴으로 긴 다리를 놓았다

세상에서 가장 아름다운 비단을 오려
징검징검 영혼의 다리를 놓았다.

제2부

꽃며느리밥풀

볼 때마다
밥알 두 개

장마철 비 오는 날
예쁘게 단장하고
부엌으로 밥 지으러 나가는 당신
참 서러운 당신의 이야기.

골무꽃

어린 시절 어머니 내 터진 옷 기워 주실 때
바늘구멍에 실 꿰는 일은 항상 나를 시키셨지

그때 내 나이 아홉 살쯤이었던가
기다란 무명실 입술에 침 발라
두 손가락 사이로 다시 한 번 가늘게 실 끝 가다듬어
바늘 코에 몇 번의 노력 끝에 성공했던 실 꿰기

어머니와 나의 거리를
뱅뱅 도는 석유 등잔 불빛 아래
어머니 내 터진 옷 완벽하게 기워 주셨지

그때 어머니 손가락에 끼워졌던 도구 하나
어머니 가녀린 손가락 힘을
아프지 않게 바늘에 무리 없이 전달하던 것

참 오랜만에
어머니 손가락에 끼워졌던 골무를 떠올리는 꽃

꽃 속에 골무를 품고 피어나는
다정한 꽃들의 신호를 보았지

어머니 바느질하시는 고운 눈빛을 보았지.

개망초꽃

들길 갈 필요도 없어요
눈만 들어 낮은 땅 아무 데나 그냥 보세요
사랑 하나면 볼 수 있는 당신 같은 꽃들이 웃고 있네요
하얀 이빨 예쁘게 드러내고 웃고 있네요
이 땅에 언제부턴가 늘 우리를 보고 사랑 하나로 피어 있네요
우리는 보고도 모르고 때로는 모른 척했지요
당신처럼 아름다운 꽃이란 것을
어둠이 슬픔처럼 번질 때 보아요
연약한 몸매 하나로 북두칠성 같은 별자리를 만들고 있네요
우리가 가야 할 길을 알려 주네요
어두운 밤에도 보아요
세상살이 칠흑같이 어두울 때 가만히 눈을 들어 보아요
보이네요 또 다른 당신 같은 꽃
어두울수록 더욱 환해지는 꽃
들길 갈 필요도 없어요
어느 때나 가만히 눈을 감아 보세요

가슴속에 들어온 당신 같은 꽃들이 웃고 있네요
당신도 함께 피어 웃고 있네요.

엉겅퀴

1

산이 아플 때
엉겅퀴는 꽃을 피운다
산이 가끔 아파서 엉엉 울 때
엉겅퀴는 잎마다 가시를 세운다

당신, 엉겅퀴에 찔려
손 아려 온 적 있다면
한번 엉겅퀴의 모습 들여다보라

엉겅퀴는 온몸에
반짝이는 가시를 달고
하늘처럼 당신 우러르고 있다

엉겅퀴가
험난한 가시 세울 때야말로
엉겅퀴가 세상에서
가장 찬란한 꽃을 피울 때이다.

2

옆에 가면 살을 파고드는 엉겅퀴야
만지면 만질수록 매섭게 파고드는 엉겅퀴야
꽃대 하늘로 하늘로 올리는 엉겅퀴야

가는 봄날 왜 이리 슬프더냐
오동꽃 뚝뚝 떨어지는 소리 왜 이리 아프더냐
또 한 해 오월 무심히 가는 소리 왜 이리 서럽더냐

가시가 없으면 엉겅퀴가 아니다
아픈 추억이 없으면 엉겅퀴가 아니다
삶이 힘겹고 살벌하지 않다면 엉겅퀴가 아니다.

3

여름 무더위가 오는 길목에 서서

엉겅퀴는 피어난다
무덤가에 피어나는 엉겅퀴를 보고
그 자리에 멈추고 싶은 것은
당신과 나 사이에
엉겅퀴가 다리를 놓아주기 때문이다

하늘 향해 꽃대 곧게 곧게
붉고 눈부시게 피어난 수많은 당신들처럼
우리가 못다 이룬 또 하나의 하늘을 향해
거칠고 강하게 피어나는
엉겅퀴가 되고 싶은 것이다

삶의 중간중간
엉겅퀴의 모습으로 피어나고 싶은 것이다
사라진 날들 수많은 영혼들의 눈빛으로
세상 다시 한 번 찔러보고 싶은 것이다

그래서 오늘도 엉겅퀴를 보러 간다

무덤 주변 군데군데 아프게 피어나는
오월 가장 아름다운 빛으로 황혼을 맞이하는
내 가슴속 꽃들을 보러 간다.

나도수정초

나도 수정초예요
수정란풀 찾는 당신 여기 좀 보아요

가까이 내 향기 맡아 보아요
오랜 기다림 없이
어찌 이런 향기 있겠어요?
새벽이슬 수도 없이 마시지 않고
어찌 코끝 황홀한 향기 있겠어요?

당신 뚜벅뚜벅 발소리
당신 오실 숲속 길 비추려다
온몸 통째로 빛이 되었어요

수정 닮은 나도 수정초예요.

때죽나무 추억

어릴 적 여름이면
넉넉하지 못한 동네 사람들
절구통에 열매 가득 채워 넣고
꼭꼭 찧어서 둠벙에 뿌렸었지

조금씩 아픈 가슴으로
붕어, 미꾸라지, 피라미들아
미안하다 미안하다 하며
짓이긴 열매 가득 뿌렸었지

물고기들 떼로 기절하여
떠올랐지
죽는 줄도 모르고
자기 몸 보시하였지.

접시꽃 당신

당신을 일러 접시꽃이라 하는군요
하얀 손길로 세상 담아내는 모습 보고
접시꽃이라 하였군요

어느 봄날
한 자락 향기만 남겨 두고 떠나시더니
여기 꽃으로 피어나시는군요

한 장 한 장
접시 펼쳐 가며
빈 공간 가득 상을 차리시는군요

식구들 내내 못 잊어
숲속 뻐꾸기 소리로 말씀하시며
예쁜 밥상 차리고 계시는군요

가신 지 몇 해 봄 흘렀는데
오늘 이렇게 넉넉한 접시꽃으로 오셨군요,

어머니.

병아리난초

1
오종종종
아기 닭들 놀러 나왔다가
꽃이 되어 버렸습니다

절집 마당에서 놀던 아기 닭들
어디론가 가더니
오지 않더니
영영 오지 않더니

절집 가는 길 바위틈에서
삐약삐약 꽃으로 피어 버렸습니다.

2
계곡 주변 풀베기 작업으로 초토화되어 버린 곳에
다행히 병아리 몇 마리 바위틈에 숨어 살아 있었습니다
날갯죽지 한쪽 잘리기도 하면서

정말 다행히도 몇 마리 삐약삐약 살아 있었습니다.

아버지의 토란

흔히 물방울 하면 연잎이 떠오른다
연잎이 귀했던 어린 시절 우리 동네에선
토란 잎이 떠올랐다

이 두 잎의 공통점은
물방울의 무게를 시험하고
물방울의 집산을 경계한다
어느 정도까지는 허용하나
과하다 싶을 때는 단 한 번의 몸짓으로 버린다

두 관계를 생각하니
버릴 줄 아는 유연함을 가졌다는 것이다

그래서 돌아가신 아버지께서는
토란을 토련이라 하신 모양이다
물속이 아니라
밭 흙에 사는 연이라는 뜻으로.

지리산 원추리

노고단
노고 할미
꽃 피워 두었다

사람들
세상살이
만만치 않아서 고단하듯

안개, 바람, 늘 편안치 않은 산

그래서 원추리
등불 하나 걸어 두고 있다.

망태버섯

대나무 숲
댓잎들의 시신
갇힌 자의 넋이 있다

오래전 날카로운 죽창
굳게 쥐여졌던 그날

갇혀서도 가슴 깊이 깎아지는
그 뜻 놓지 못했다.

수염가래꽃

논둑 가다
고개 숙이면 보인다

낮게 귀 기울이면
아이들 노는 소리 들린다

가위로 흰 종이 잘라
수염 붙이고 재잘거리는 소리들

여름 소나기 쏟아질 것 같은 오후
가끔 논둑에서 놀고 있는 아이들.

순비기나무 이야기

작년에 친구 집에서 얻어 온
순비기나무가 꽃을 피웁니다

해 질 무렵 연보라 꽃잎
잔잔한 바닷물 색으로 피어납니다

서울 간 아들 학비 걱정하며
하루도 쉬지 않고 물질하는 어머니
이제 너무 숨이 차 힘이 듭니다

모래밭 한쪽에 앉아 큰 숨
들이쉬는데
어디선가 좋은 향기 코끝에 스칩니다

세상에 이렇게 예쁜 꽃이 있을까?
아들 녀석 눈동자처럼 맑은 꽃잎입니다

이제 힘이 솟아나

깊은 바닷속도 너끈히 들어갑니다

숨 비우는 옆에 피었다 하여
순비기나무라 이름 붙여진 꽃

물질하는 어머니 마음이겠지요
말 안 해도 아는, 해 떨어질 무렵
서둘러 꽃 피워 내는
세상에서 가장 깊은 아름다움이겠지요.

타래난초

꼬이고 꼬인 세상
알고 보면 아름다운 세상

실타래 풀리듯
실마리 풀어내는 여원 당신

풀어내는 묘미
그래서 더욱 아름다운 세상

타래 끝자리
고추잠자리 잠시 쉬어 가고 있다.

작살나무

산속에서도
꼭 잡아야 할 것 있는가 보다
작살에 정확하게 꽂아서
아예 산뿐만 아니라 세상에서도
작살내야 할 것들
몹쓸 것들 하나하나 줄줄이 작살에 다 꽂아서
산이 그대로 산이게 하고 싶은 나무
세상이 온전한 세상이게 하고 싶은 나무
살벌한 이름이지만
그 가지 끝에 맺혀 피는 꽃들이
구슬보다 더 영롱한 이유 알 것 같다.

산수국

어느 집 뜰에 있는 수국이 좋아서
수국 한 포기 가꾸는
꿈을 꾼 사람도 있다는데
무엇이 그리도 좋았을까
궁금했는데
노고단 가는 길에 만난 것들
지루한 장마철에 싱싱하게 웃는 것들
빛이 약해 촬영도 하기 힘든 그늘에서
밝게 손짓하는 것들
꽃도 아닌 것 같은 것들 수없이 모여
깊은 보라 물감 만드는 꽃들
그 언저리 꽃도 아닌 것이
진짜 꽃인 듯 흉내 낸다 하였더니
작은 꽃들 진짜 꽃으로 보여 주는
현미경으로 피어나는 가짜 꽃이
너무나 맑고 아름다워서
꼭 가짜가 진짜보다 못한 것 아니라는 사실 때문에
혹시 그 사람

수국 꼭 하나 갖고 싶은 꿈 꾸지 않았을까?

꼬리조팝나무

조팝나무
지난 봄날 붉고 화려한 꽃 피우지 않은 이유 알겠다
향기 날리며 예쁜 꽃만 고집하지 않은 이유 알겠다

배 주린 민초들
삶의 희망 끝까지 버리지 않게
젖 먹던 힘까지 다하여 피우던 꽃 무더기
“밥이다 밥이다” 하고 피워 내던 꽃 무더기

이제 머루 다래 익어 가고
멧돼지도 한낮 물구렁 잠에 빠진다

“이제 쉬어라 쉬어라” 하며
그 옆에 안타깝게 지켜보던 꼬리조팝나무
붉고 화려하게 꽃 피운다
마음의 밥 한 그릇 꼭꼭 눌러 다정하게 내놓는다.

철조망과 꽃

우리 마음속에 박혀 버린
철조망
언제나 걷힐까

박주가리 하나
오늘 녹슨 철조망 안고
꽃 피운다

세상 어디에나 쳐진
분단의 철조망
언제나 걷힐까

댕댕이덩굴 하나
오늘 가시철조망 부여안고
세상과 줄다리기한다.

제3부

물봉선

가을은 온통 물봉선이다
태풍 오건 말건 물봉선이다
골짜기마다 지천으로 물봉선이다
초토화된 낮은 곳 여기저기 물봉선이다
강풍에 꺾여도 붉게 타오르는 물봉선이다
톡 톡 톡 뜨겁게 터지는 우리의 땅 물봉선이다.

왕고들빼기

봄부터 가을까지
예초기에 수없이 베이면서도
포기하지 않는다

때로는 포기할 줄 아는 것이
진정 편안한 길이련만

수없이 꺾이고 베이고
쓰러져도
어느 날 아침이면 또 움 틔워 낸다

가을 햇볕 따사한
논둑길 길게 줄지어, 끝내
조선 아낙 속치마 같은 맑음으로
수없이 피어나는 풀꽃들

꽃들에게 미안해하며 먹는
밥상 여러 반찬 중에

쌉싸름한 맛의 의미 알 것 같다.

들통발*의 편지

벌써 가을이어요
실바람에 조금씩
흔들리며 햇살 앉아서 쉬는 가을이어요

그동안 물벼룩 많이도 먹었어요
타고난 살생의 업보일까요

그 업보 서글퍼서
오늘은 꽃을 피워
눈물 같은 꿀을 만들기로 했어요

우리가 할 수 있는 일
물 위로 꽃대 올려 꽃 피우는 일이어요

저물녘 서성이는 햇살처럼
춥고 아픈 것들의
따뜻한 가슴이 되어 주고 싶어요

오늘은 우리 모두 꽃을 피우기로 했어요.

* 연못이나 논의 물속에서 자라는 벌레잡이 식물. 가을에 노란색의 꽃을 피운다.

놋젓가락나물에 대하여

놋젓가락나물 보고 있으면
놋젓가락 어디 있을까 궁금하게 되지요
이리저리 찾아도 보이지 않아
포기할까 할 때쯤
숨은 놋젓가락 눈앞에 살짝 모습 나타냅니다

아마 오래전 누군가 추석 성묘 왔다가
놋젓가락 떨어뜨리고 갔을 거예요
몇 해 뒤 가을 조상님 산소에 들렀다 가는 길
땅바닥에 파랗게 녹슨 놋젓가락 보았을 거예요

그 옆에 놋젓가락 길게 늘어나 덩굴이 되어
푸르스름한 꽃 피우고 있어서
놋젓가락나물이라 하였을 거예요
우리 조상님들 이름 붙이는 솜씨 참 절묘하지요.

강아지풀

강아지 어디 갔나 했더니
밭두룩에서 짖고 있다

동네 강아지들 다 어디 갔나 했더니
우리 집 밭두룩에 다 모였다

가는 하루 하늘 향해 짖다가
저녁 내내 짖지 마라

은강아지, 금강아지야
잠 못 이루는 사람들 날 새지 않게.

까실쑥부쟁이

쑥부쟁이 어느 날
피부 관리 안 했더니

까실까실
논두렁 집에서 밀려나
산속에 숨어들더니

여전히 피부는 까실까실
하지만 꽃에 온 정성 다하더니

고실고실
세상에서 가장 고운고운 꽃 되었네.

층꽃

풀이냐 나무냐
따지려는 것
이 또한 부질없는 짓거리

꽃 예쁘면 그만이지
풀이면 어떻고
나무면 어떠할까?

추위에 목마른 곤충들
불러들여 꿀 잔뜩 먹여 주고
지나가는 나비 불러들여 춤 함께 추어 주고

그러다 저러다
층층이 씨앗 건실하게 맺혀
후손들 성하면 그만이지

풀이어도 좋고
나무여도 좋을 뿐인 것을.

감나무님 가을

감나무님
오늘 전구에 불 밝히시고
배고픈 물까치들 부르시나요

나무 가득했던
이파리 툭툭 털어 내시고
앙상한 뼈로 남아
뜨거운 불씨 만드시나요

하루에도 수많은 아이들
굶어 저세상으로 가는 지구촌 마을
이 땅 작은 나무로 서서

오늘 감나무님
구들 깊숙이 따뜻한 불꽃 지피시며
물까치들 부르고 계시나요.

물매화

젖어 있는
당신의 마음에
꽃대 하나 올라옵니다

깊을 대로 깊어진
당신의 허무

꽃대 끝에 또르르 맺혀
꽃으로 핍니다.

자주쓴풀 이야기

올가을 자주쓴풀에 푹 빠졌답니다
맛이 쓰디써서
약이 된다는 풀
가을 내내 독감 걸린 몸 이끌고
자주쓴풀 찾고 또 찾았답니다

자주쓴풀 피어난 곳 모두 다
왜 이리 아득할까요?
산길 어쩌다 햇빛 찾아드는 곳
자주쓴풀 하나 피어 있어
한참 동안 넋을 잃어버렸답니다

자주쓴풀 고개 숙여 열심히 들여다보는데
어디선가 낮은 기침 소리
자꾸 고개 들라 고개 들라 하는 것 같아
잠시 고개 들어 보았답니다

바로 몇 발치 앞에

작고 나지막한 무덤 하나 있는 것입니다
듬성듬성 키 작은 나무들 사이로
편안하게 보이는 무덤 하나 있는 것입니다

세상의 자주쓴풀 무덤 주변에 다 모여
지천으로 피어나고 있는 것입니다

무덤 주인 하도 정신 팔려
자기가 죽은 지 산 지도 모르게요.

무환자나무

세월이라는 것이 아쉽기도 하지만
어떤 것에 대해서는 고맙기도 하다
고마운 사람이 있어
'사고 싶다' 하였어도 '그냥 드릴게요'
얻어 온 무환자나무 한 그루가
올해 꽃이 피고 열매를 맺었다
생각해 보니 벌써 7년이 흘렀다
무상한 세월이 무상한 것을 만들고 있지만
한순간 기쁨은 너무 커서
그냥 내어 준 사람이 고맙고
이렇게 커 준 나무가 고맙고
이렇게 자라게 해 준 세월이 고맙다
무환자나무 이름처럼
'환자가 없어라'는 의미가 더욱 고맙다
주렁주렁 열매 매달고 허공에 주령珠鈴 흔드는 모습이
마치 동네 무병장수 빌어 주는 한판 굿판 같다
마음 아파 몸도 아프고
사람 몸이 아프니 세상도 아프고

세상이 아프니 무환자나무 열매를 맺어
걱·정·마·라·걱·정·마·라
한 알씩 한 알씩 땅 위에 뿌리고 있다.

송정기 공방

송정기 도예 공방
송정기 님
봄부터 꽃들에 둘러싸여 산다

노루귀,
홀아비바람꽃,
큰개별꽃, 깽깽이풀, 산자고,
들현호색, 흰민들레, 자운영, 할미꽃…

겨울
지상 꽃들 모두 잠에 빠져들 때

나무들의 혼, 흙들의 혼 불러내어
뜨겁게 뜨겁게
암술, 수술, 꽃잎 빚어낸다

세상에서 가장 크고 황홀한 꽃
가마 속 가득 '불꽃' 피워 낸다.

제4부

이팝나무를 보렴

아이들아
길 가다가 힘들면 이팝나무를 보렴

세상이 너무 힘들다고 느껴지면
마음속에 이팝나무 한 그루 길러 보렴

겨울 지난 어느 봄날
눈 시리게 피어나는 꽃 무더기 달고
보릿고개 넘어가는 길목 이팝나무를 보렴

봄날 하얗게 몸 사르고 서 있는
한 영혼을 보렴.

어느 아침 길

아이들이 간 길이
눈물처럼 펼쳐진다
죽은 자들에 대한 슬픔이
하얗게 몰려온다
가고 오는 것 무상한데
여린 가슴 미어진다
4월 아침 길
벚꽃 흐느끼는 눈물바다 길
무시무종無始無終
깨달아도 소용없는 우리들의 슬픈
아침 출근 길.

참회

– 고 최혜정 선생님의 마지막 말을 생각하며

눈물이 이럴 때 나오는가 보다
4월 22일 자 경향신문 1면
선생님 당숙이 전하는 편지가 실렸다

“걱정하지 마
너희부터 나가고 선생님 나갈게”

아직 나이 어린 24세
선생님은 심연의 바다를 통해
배를 타고 하늘로 떠나갔다

동백꽃 한 송이처럼
열 아이들 생명 하나씩
밖으로 던져 주고
마지막 가쁜 숨 몰아쉬며
자신도 동백꽃 되어
뚝 하고 바닷속으로 떨어졌다

마지막 힘이 부칠 때
하느님을 불렀을 것이다
“하느님이시여
저를 데려가시고
아이들을 구하소서
그렇지 않으면 저에게
조금만 더 힘을 주소서
제 팔에 조금만 더 힘을 주소서”

알고 보면 우리 모두 죄인이다
세상이 모두 하나로
연결되어 있음을 잊었던 우리들
하느님은 용서하지 않으셨다
다만 수많은 기회를 주셨을 뿐이다

사람의 일은 사람이 하는 것
하느님은 단지 기회를 주실 뿐
하느님도 때로는 도와줄 수 없다는 것을

눈물로 말씀하신 것이다

하느님의 눈물이
우리의 눈을 통해
하염없이 쏟아지고 있다는 것을
하느님이 지금 울고 계시다는 것을
알아야 한다

하지만 아이들은 어쩌나요
이 아이들이 무슨 죄가 있나요
그래도 아이들은 살아야 되지 않을까요
선생님의 생명 가져가셨다면
대신 아이들의 생명 돌려보내 주시기를
우리 모두 기도하고 있었다는 것을
왜 몰라주셨나요, 하느님

우리 모두의 하느님
부디 용서하시고

최 선생님 죽음 헛되지 않게
그동안 잘못 용서하시고
아이들 몇 명이라도
돌려보내 주시면 안 될까요

우리들의 자애로운
기적의 하느님이시여
2014년 5월 11일.

촛불

당신
그리고 당신이 있기에
존재하는 나

아프고 슬픈
상처들이 있기에
맑은 영혼이 고이는 것이다

죽은 자와 산 자
그 영혼들이 만나서

더 맑아지자고
절대 잊어서는 안 된다고

함께 울고 웃고
기대면서 촛불을 켜는 것이다

꺼지지 않는
한 자루 촛불이 되는 것이다

문門

문은 꼭 닫혀 있어야 하고
문이 문이기 위해서는
열려 있어서는 안 된다는 것

문은 닫기 위해 만들어졌기에
절대로 쉽게 열려서는 안 되지만
한 번 열리면
문의 의미를 잃어버리지만
한 번은 열리고 싶다는 것
죽는 한이 있더라도
한 번은 열려
경계를 허물어 버리고 싶다는 것

꼭 꼭 닫힌 문들이 세상 도처에 만들어져
오도 가도 못하게 사방을 막아 버렸지만
문은 벽이 아닌 것을 알기에
언젠가는 스스로 열릴 것을 각오하고 있다는 것

함박눈 내리는 첫날
하늘의 문이 열리듯이
문도 한번 그렇게 세상을 온통 흰빛으로
물들이고 싶어서
오늘 문을 열어 문의 생명을 다하기로 했다는 것

문들의 소리가 사방에서 들리는 날이 있다.

학교의 수련睡蓮

수련의 수睡 자는
잔다는 뜻이지요

이 녀석은 꼭 오전에 피었다가
점심 무렵이면 조는 아이처럼
깊이 잠들어 버리지요

이따 보러 가야지 하고
조금만 늦게 가도
꽃잎 다 접어 버리고
잠에 깊이 빠져들지요

자기는 게으르면서도
게으른 꼴은 절대 못 보지요

우리 아이들 닮은 수련꽃
세상에서 가장 맑고 예쁘지요.

지리터리풀

아이들 6교시 끝나고 청소 시간
먼지떨이 총채 바쁘다
구석진 곳 후미진 곳
숨은 먼지 찾아 신나게 턴다

한여름 지리산에 들면
아이들 산에까지 들어와 여기저기
먼지를 턴다

한참 털다 보니
열이 올라 얼굴이 빨개진다
아이들 자기 청소 구역마다
얼굴이 빨개져 꽃으로 핀다.

농부

하늘이
이렇게 낮은지 몰랐다

출근길
모내기 채비된 맑은 논에
하늘이 내려와 계셨다

구름도
먼 산도
모두 만나고 계셨다

하늘에 모를 심고
마음 비워 버리는 이

이 땅 귀하디 귀하신

우리들의 또 다른 하느님.

이명耳鳴

어느 날 내 머릿속으로
귀뚜라미 한 마리가 들어왔다
세상 부뚜막에서 살던 귀뚜라미가
부뚜막이 사라진 세상에서 갈 데가 없어
내 기억 속 부뚜막을 찾아서 들어온 것이다
나는 귀하게 맞이하기로 했다
그리고 함께 살기로 했다
이제 나의 부뚜막에서는 어머니도
다시 군불을 때기 시작하셨다.

아침 일상 검색

시계 종소리가 나를 깨운다
조금만 더 누웠다 일어날까
갈등은 반복된다

화장실에 앉아 『법구경』 한 구절을 읽는다
수없이 읽어도 아직 공감 수준이다
수백 번 더 읽기로 한다

나는 분명 중생이다
하지만 얼마나 다행인가

아침마다 108배를 줄여 33배를 한다
인연 있는 모든 분들과
뭇 생명을 향해 절을 올린다

일어서면 문밖에 있던
텅 빈 청정이 안으로 들어선다

아침 밥상부터 다시 일상이다
수행처가 따로 없다 했던가
힘들수록 좋은 수행처라 했던가

마음에 길 하나 놓기 참 어렵다
돌아보면 여전히 그림자가 따른다

밤새 자신을 비우고 기다려 준
두 쪽 신발이 고맙다
오늘도 온전히 나를 맡긴다.

풍경 소리

바람이 불 때
바람은 말하지 않는다

풍경 소리 속에는 바람의
침묵이 들어 있다

풍경은 오직 침묵을 위하여
소리를 내는 것이다.

겨울나무로 선다는 것은

마음 투명하게 비워 두고
숲 가만히 바라보는 것이다

때로 실바람에 흔들리기도 하는
바위들의 소리 듣기도 하고

가지 끝에 내려와 잠시 쉬고 있는
하늘 한 조각 만나 보는 것이다

때로 긴 체관 타고 존재의 근원까지
멀리 한번 내려가 보는 것이다.

시선의 높이

어디를 보는가

낮은 데를 볼 때는
높은 시선으로

높은 데를 볼 때는
낮은 시선으로

실은 똑같은 데를 보는 것이다.

그리움

깊음과 높음
넓음이 실은 같은 것이다

평소 살다 보면
잊어버리기 일쑤지만

삶에서
짧고도 먼 길 가면서
내심 그리워하는 것이다.

회귀

돌고 돌아 도달하는 곳이
바로 우리 안에 있다면
우리는 그동안 잘 살아온 것이다
목표점이 멀수록 가망이 없어 보이지만
때로 가만히 힘을 놓아 원래대로 돌아오는
순간을 상상하며
호흡을 바라보며
늘어난 마음의 끈을 놓을 때
빛 하나씩 보이기 때문이다

개화

오랫동안 애타게 기다리면서
쉽게 오지 않으리라 알고 있었지만
시간의 새 통로가 이렇게 열리는가 보다
아내가 보내 준 전송 문자 한 다발
"문 열고 나서니까 막 피네요
꽃들이 이렇게 막 피네요"
고개 숙인 할미꽃 몇 송이
홍매화 핀 것 두 송이
꽃 사진 두 장
당신의 향기.

입술

세상에 이렇게 아름다운 것이 있더냐
한 일 자 한 획 길게 그으며
그토록 열망하던 자유를 품은 실상이 또 있더냐

관계

나무가
나무의 그림자를 받아 주고
그림자가
팔을 벌려 나무를 안아 주는 것

호랑가시

호랑가시 옆에 서 보라
어떤 잎은 가시가 없다
어떤 잎은 가시가 두 개 있고
어떤 잎은 가시가 세 개 있고
어떤 잎은 가시가 네 개 있다
가시들이 있다는 것은
호랑가시가 살기 위함이다
가시가 있다는 것은
호랑가시가 힘든 고개를 넘어왔다는 증거이다
호랑가시 옆에 서서
호랑가시를 이해하고
호랑가시의 삶에 종지부를 찍어라
호랑가시의 평화에 기도하라.

새터민 식당 '백두산'에서

"평양소주 한 병 주세요" 하니
한 열아홉 살쯤 되었을까 싶은 아가씨
"요즘 사이가 안 좋아서 평양소주 안 들어와요"
탈북 소녀라는데 안타까운 표정 그대로 "사이가 안 좋아서"
우리 먹고 싶은 달콤한 평양소주 한잔 대신
잎새주도 없다 하여 진로 참이슬 한 병을 시켰다
천지 안개 같은 살얼음 사르르 평양냉면에
우리 모두 한 잔씩 "크으-" '쏘주'를 마셨다.

망월 묘역에서

새해 아침에 우리는 보았다

아무리 떠나려 노력해도
발길 떨어지지 않아
떠날 수 없는 땅
밤이슬 같은 서러운 당신들을

무욕의 땅으로 가는
생사의 강을 건너지 못하고
아직도 자꾸만 뒤돌아보는
새벽안개처럼 슬픈 영혼들을.

다시 오월인가

오월 오동꽃 우리에게 다가와 말한다
그때를 잊었느냐고
오월 아까시나무꽃 우리에게 다가와 말한다
그날 진하디 진한 향기 잊었느냐고
아직 피비린내 거리마다 진하게 남아 있다고
우리가 아직 이루지 못한 것들
거리마다 꽃빛으로 서럽게 울고 있다고.

가시

내 몸의 가시들을 다 제거하라
마음속 깊이 자라나는 가시들도 다 제거하라
가시들이 가진 의미를 생각하지 말고
가시들이 변해 잎이 되고 줄기가 되도록 상상하라
그리고
먼 훗날 꽃이 되기도 하고
열매가 되기도 하는
아픈 가시들의 추억도 다 제거하라
그리하여
가시들의 날카로움과
가시들의 반짝임도 다 소멸되어
온몸과 마음에 상처도 흔적도 사라지고
오직 무색의 부드러움만 가득하게 하라.

| 발문 |

꽃 속에 저 바람 속에*

김경옥 시인

꽃에 대한 시들로 시집 한 권을 채웠다.

아니 한 권을 넘어서는 더 많은 시들을 썼는데 덜어 내고 한 권만을 단정하게 묶었다. 받아 든 원고는 그야말로 '들꽃 백과사전' 대용으로 써도 부족함이 없을 정도다. 식물도감이 낙엽관목, 돌려나기, 순상화서 이런 어려운 말만 늘어놓아 보는 사람 질리게 하는데 여기의 꽃들은 인문학 식물도감이라 이름 붙일 만하다. 피는 곳, 시기, 장소, 꽃의 생김새, 이름, 특징, 얽힌 이야기, 식물의 용도

* 이어령의 산문집 제목 '흙 속에 저 바람 속에'에 기대었음.

등 꽃이 주는 인상과 이야기를 풀어내 전편이 순하게 읽힌다.

시, 꽃, 아름다움. 이 말들은 상당한 친연 관계로 묶어질 수 있기에 꽃을 보며 시를 쓴다는 생각과 말은 흔하고, 꽃 그림만으로 전시회를 여는 화가들도 있다. 들꽃들을 보면서 꽃에 따라 시 한 편씩을 써 나갔다는 것이 쉬워 보일지 모른다. 천만의 말씀이다. 다른 직업 없이 시만 쓰는 시인에게도, 이미 여러 권의 시집을 낸 시인에게도 한 편의 새 시를 쓰기는 쉬운 일이 아니다. 산고産苦라는 말을 붙일 만큼 한 편의 시를 쓰는 일은 집중된 사유가 있어야만 하고 발상부터 미세한 부분의 표현 한 글자에까지 온 에너지를 집중시켜야만 가능한 일이다. 발심 끝에 한 소식을 깨치는 수행자의 순간, 그 반짝임을 낚아채지 못하면 문을 여는 것부터 어려운 게 시작詩作이 아니던가. 하물며 꽃 한 가지에만 집중하여 시들을 써 나가는 건 더 어려운 일일 수 있다. 들꽃의 아름다움에 빠진 사람들, 들꽃 사진을 찍으러 다니는 사람들이 있지만 아예 들꽃시만으로 한 권의 시집을 묶어 내는 사람을 보지 못했다. 시인의 이런 작업은 그냥 꽃을 좋아하고 즐기는 마음을 넘어서야 가능한 일이다. 시인의 삶이 투영된 꽃, 꽃에 대한 특별한 애정이나 삶에 대한 깊이 있는 성찰 없이는 불가능한 일이다. 이 애정이나 깊이는 대체 어디에서 왔을까.

꽃 이야기 속에는 어머니에 대한 그리움, 그간 학교에 있으면서 가르쳤던 아이들 이야기, 우리 역사의 후미진 곳에서 이름 없이 살다 간 사람들의 이야기가 편 편마다 들어 있다. 매일 아침 108배를 올리면서 털어 내려 애를 썼던 생활의 무게, 잘 가라앉지 않는 깊은 상처들, 역사의 격랑을 헤쳐 나오며 지게 된 부채들, 매장된 5월, 수장된 세월호의 아픔들, 지나칠 수 없는 살아 있는 슬픔들을 그는 꽃에 담아 노래했다. 시인은 눈으로는 꽃을 보고 있지만 그 순간들에 얼비치는 사람들과 삶을 꽃 속에 투영하여 시 안에 담았다. 그 시들을 보면서 우리들은 위로받을 것이다.

삶이 힘들고 외로울 때
당신은 나의 비상구다

세상 막막하고 어두울 때
당신은 나의 비상구다

당신이 존재한다는 것
나 비상구 하나 갖고 있다는 것

험한 산속 길 잃었을 때
"여기요 - 여기요-"

황홀하게 피어나는 앵초 같은 사람
당신은 언제나 나의 비상구다.

-「앵초」 전문

그는 꽃 한 송이를 보며 비상구가 얼마나 절실한가에 대해 말한다. "세상 막막하고 어두울 때" "험한 산속 길 잃었을 때" "힘들고 외로울 때" 숨 쉴 구멍 하나 있다는 것은 얼마나 다행한 일인가. 하루아침에 세상이 확 뒤바뀌는 희망의 대포 소리는 들리지 않는다. 그는 팍팍한 일상, 이생의 삶을 이어 가게 하는 건 작은 비상구 때문이라고 한다. 그 비상구가 나에겐 있다는 믿음이라고 말한다. 시에서 그 비상구는 꽃이고 그 꽃에 투영된 사람이다. 그는 영광 불갑사에서 결혼식을 올렸고 40여 년 동안 다툼 한 번 없이 누구보다 행복하게 살고 있다. 시에서 가리키는 "당신"은 그 아내일 수 있다. "당신"은 그가 평생 사랑하며 가르쳤던 학생들일 수 있다. 그가 늘 사람을 중시하고 사람에게서 희망을 보곤 했다는 점을 상기하면 그가 만난 아름다운 사람들 모두를 지칭할 수도 있다. 동시에 지겨운 일상 속에서 반짝 아름다움을 뿜어내 새 힘을 주는 꽃들이기도 하다.

그와 내가 함께 다니던 대학은 '광주'에 있었고 시절은 '80년'을 전후한 4년이었으며, 우린 '국사교육과' 선후배로 강의며 답사를 함께했지만 투쟁, 상처, 부채, 죄의식 없이 지나올 수 없는 시절이었다.

이러저러해서 우린 교사가 되었지만 1980년 5월의 절망이 더해지기 이전부터도 학교는 숨 쉬기 힘든 곳이었다. 그가 근무한 도시의 사립학교는 더 심했을 것이다. "대한민국 교육 다 좆 까라 그래!" 영화 〈말죽거리 잔혹사〉의 주인공 현수의 절망과 한 치도 다름이 없는 것이 그때의 학교 현장이었다. 그곳에 숨 쉴 틈이라도 만들기 위해 우린 움직이고 모여야 했고 우리가 이른 곳은 전교조였다. 밥그릇을 걸어 놓고 비굴한 탈퇴서를 강요하던 학교와 교육당국의 탄압은 지독했고 비인간적이었다. 그는 아이들 편에 서기로 작심하고 해직의 길을 선택한다. 1989년 당시 그 길은 우리들 모두 가족의 생존이 걸려 있었던 쉽지 않은 선택이었지만 5월의 힘으로 참교육을 밀고 나갔었다.

투쟁의 전면에서 큰소리를 내기보다 일상에서 긴장을

놓지 않고 실천을 이어 가는 것, 작은 것 하나하나를 언제나 챙기는 일이 더 중요하다고 생각할 사람들도 있다.

> 밤새 자신을 비우고 기다려 준
> 두 쪽 신발이 고맙다
> 오늘도 온전히 나를 맡긴다.
>
> —「아침 일상 검색」 부분

이를테면 시인은 이렇게 살아가는 사람들에 더 가깝다. 불교적 성찰과 각성으로 하루하루 자신의 삶을 채워 가는 그는 애초부터 큰소리치거나 큰 꿈만을 좇는 법이 없는 사람이었다. 그의 성품과 주변의 조건을 생각하면 그에게 해직의 결단은 다른 이들보다 훨씬 고통스럽고 힘든 것이었으리라. 5년여 해직 기간을 이겨 내고 복직하면서 그는 아이들을 품어 안아 주고 바로 세우는 일이 무엇보다 중하고, 자신이 할 수 있는 일, 자신이 해야만 하는 일이라고 여기며 스스로 몸을 낮추었고, 시야를 어리고 여린 것들에 맞추었다고 말한다. 그즈음부터 들꽃들이, 그 작은 것 속에 지닌 아름다움이 그에게 보였으리라.

그는 언젠가 교직은 자신의 운명이라고, 거기서 최선을 다해야만 하는 것은 자신에게 씌워진 업보라고 말했다. 운명, 업보. 이런 말들은 그 구체적 이유와 내용을 따져 묻기 전에 움직일 수도 없고 피해갈 수도 없는 절대적인 말들이지 않은가. 그는 아이들과 함께하면서야 비로소 희망과 기쁨을 가질 수 있었다고, 모두가 힘든 이 시대에 '나'라도 아이들과 교사들에게 작은 위안이라도 되어 주고 싶었다고 들꽃처럼 웃으며 말한다.

「민들레 옮겨심기」에서 "강화도 초지진 옆길 지나다가 /대포 소리보다 더 큰 기쁨"을 느꼈다며 외세의 지배와 지독한 서풍西風의 범람 속에서도 살아남은 하얀 우리 민들레꽃을 반가워하며 '살아남음의 의미는 죽음보다 크다는 걸' 알았다고 말한다. 평이하게 읽고 지나가야 할 이 구절에서 나는 엉뚱하게도 해직을 앞에 두고 어머니와 가족, 선두에 선 동지들의 얼굴들, 가난과 막막함이 한꺼번에 밀려오던 그 시절을 떠올렸다. 현장을 지키고 아이들과 함께하는 것이 더 중요한 건 아닐까 하는 갈등과 고뇌로 밤을 새워야 했던 그 순간들을. 그때 현장을 함께 통과해 왔던 동지라서 이 구절을 그냥 지나칠 수 없어 나는 억지소리를 하는지 모른다. 자기는 목을 내놓고 전선을 지키면서도 살아남는 것의 중요성에 대해 생각한 사람, 수십 년이 흐른 지금 새삼 그 사람됨의 넓이와 깊이를 헤아려 본다.

대학 시절에 그는 이미 자기 전공과는 부관한 용봉문학 동인회 활동을 하면서 시 창작에 열을 올렸었다. 전대신문에서 주관하는 용봉문학상 시 부문 상을, 졸업 후 교단에선 전교조에서 시행하고 신경림 시인이 심사한 참교육 문학상을 수상할 만큼 그는 일찍부터 시에 심취해 있었고 재질을 보였었다. 그런 그가 대학을 졸업하고 시작한 교사 생활에 종지부를 찍는 정년에 이르고서야 첫 시집을 펴낸다. 이것은 게으름인가?

누구나 쉽게 게으름이라고 단정하는 이 지점에서 나는 멈춘다. 모든 시인에게 시 쓰기는 무엇보다 우선하고 중요한 일인 건 틀림없지만 '시가 사람이나 삶보다 중요한가'라고 묻는 질문에 제대로 부딪혀 본 사람은 그렇다고 쉽게 말할 수는 없다. 그는 쓰러져 가는 집안 살림도 챙겨야 하는 가장이었고 아이들을 온전하게 가르치고 싶은 따뜻한 교사였기에 시가 자꾸 뒤로 밀리는 생활을 보면서도 어찌하지 못했다. 그러다 정신이 들면 본능적으로 써 본 시들이라고 지난 시간을 돌아보며 말했다. 어느 것 하나도 소홀할 수 없는 삶을 그는 용케도 밀고 왔다. 게으름이라는 비난 대신 박수를 보낸다.

꽃에 겹치는 사람살이의 슬프고 힘든 장면들과 일상을 불교적 깨우침으로 깔고 있는 시들이 좋고, "아이들이 간 길이/눈물처럼 펼쳐"진다는 세월호의 슬픔이나, "눈 시리게 피어나는 꽃 무더기 달고/보릿고개 넘어가는 길목 이팝나무를 보"라며 길 잃은 아이들에게 안타까운 마음을 전하는 교육시들도 좋지만 그의 눈이 역사적으로 확장되어 갈 때 그의 시는 더 깊은 깊이를 획득한다.

압록강을 건넜어요
대동강을 건넜어요
예성강, 임진강, 한강도 건넜어요
금강 건널 때는
세찬 바람 하마터면 서해로 영영 잠길 뻔했었어요

그리운 당신 찾아 예까지 내려왔어요
함께할 날 기다리며
여기 바위 틈새 뿌리내렸어요

혹독한 겨울 견뎠어요
땅속 깊이 뿌리마다 그리움 모았어요

오늘 당신 오실 것 같은 설렘
꽃망울 몇 개 맺었어요
당신 눈길 닿으면 터뜨릴
꽃잎 몇 장 곱게 키웠어요

봄이라고 결코 꽃잎 열지 않겠어요
당신 발자국 소리, 따스한 눈빛 닿을 때만
터트릴 거예요
눈물 방울방울 맺히며 터트릴 거예요.

―「만주바람꽃」 전문

해방이 되었어도 독립운동가들이 일제하 친일 경찰들에 뺨을 맞고, 결국은 암살로 분단으로 이어졌음은 주지의 사실이다. "압록강을 건"넜다는 구절에선 풍찬노숙의 삶 끝에 고국을 찾아 귀국하는 이들의 기대와 막막함이 함께 떠오른다. 임진강, 한강을 건너는 대목에선 분단과 전쟁에 휩쓸리는 이들의 고통이 살아난다. 아직도 진행형인 이산의 아픔이 흐른다. 그래서 그는 "혹독한 겨울을 견"디었다고, "땅속 깊이 뿌리마다 그리움 모"으면서 버티었다고, 당신 위해 꽃망울 몇 개 준비했지만 당신 발자국 소리 닿을 때만 터뜨리겠다고 말한다. "눈물 방울방울

맺"힌 게 금방이라도 쏟아질 듯하다. 만주에서 한반도의 남쪽까지 쫓기고 찢기면서 건너온 독립투사들, 민초들이 아픔과 그리움으로 견딘 세월 절절하다.

만덕산 송산골
한때 피맺힌 절규로 가득했다지요

아무 죄도 없는 사람들
그냥 쏘아 죽였다지요

저편 옷 입고 내려온 사람들 향해
만세! 만세! 부르며 환영한 사람들
우리 편이 다다다다… 모두 죽였다지요

이편 옷 입고 나타나도
살려고 만세! 만세! 불렀겠지요

그때 죽어 홀아비 된 영혼들

지금까지 만세! 만세! 부르며
봄만 되면 돌밭 사이사이

피어나고 있다는 설운 이야기지요.

—「홀아비꽃대」 전문

좌우도 이념도 모를 농투성이들은 살기 위해서 번쩍! 만세를 부르고 보아야 했고 분단의 증오에 갇힌 이들은 두 손 올린 가슴들에 총알을 가차 없이 퍼부었던 비극이 생생하다. 시를 읽다가 몇 번이고 그가 만난 꽃들을 검색하고 이미지를 클릭해 보게 되는데 '홀아비꽃대'는 국방색 바탕 위에 불쑥 하얀 꽃대를 올린 것이 영문 몰라 손부터 올리고 보는 햐얀 옷 입은 사람들, 죄 없는 사람들 모습이 분명하다. 슬픔이 몰려온다.

불교적 깨우침에 미달하는 내 눈이라서 그럴 것이라고 생각하지만, 시집에 아쉬운 점은 완강한 대립각이나 아득한 낭하가 드물다는 점이다. 「철조망과 꽃」에 "오늘 가시철조망 부여안고/세상과 줄다리기한다"에 그런 긴장이 보이지만 구체성이 미약해 조금 아쉽다. 그가 갈등까지 넘어설 원융한 마음의 세계를 꿈꾸어서일 것이라고 생각한다.

새로운 인식이나 낯설게 하기만을 찾아내는 현대 모더니즘의 대척에 그의 시는 서 있다. 그의 시는 순하고 편안하게 읽히지만 가끔은 설명에 빠지기도 한다. 교사 시인들이 빠지기 쉬운 지점이라 생각한다. 설명은 교사의 기본이다. 더 설득력 있게, 더 쉽게 설명하는 것이 교사에겐 습習으로 쌓인다. 늘 눈에 남는 아이들이 있었다. PC방이나 들락거리며 뒷자리에 앉아 공부엔 관심도 없는 아이들 말이다. 그들을 안타까워하는 교사일수록 수업의 핀트를 거기에 맞추어 더 쉽게 설명하려 애쓴다. 교사는 좋은 설명, 쉬운 설명, 설명의 반복이 밴다. 수업이 아니라 상담이나 생활지도 할 때도 그렇다. 그렇게 살다 보면 설명 버릇은 교사의 몸이 되지 않을 도리가 없다.

문·사·철로 인문학을 아우르지만 사실 관계를 꼼꼼하게 확인하여 적고, 인과를 맞추어야만 하는 것이 역사 연구 방법론이다. 역사학은 상상력을 바탕으로 하는 문학과는 영 다른 지점에 발을 딛고 있다. 늘 설명하는 습이 붙은 '교사', 그것도 상상력보다는 팩트 찾기에 골몰하는 '역사 교사'인 그와 나는 시인이 되기에 불리한 조건을 갖고 있다. 습이 쌓인 몸을 깨치고 나오는 일은 지난하지만 그가 더 좋은 시를 더 많이 쓰기 바라는 후배의 마음에서 부치는 사족이다. 동시에 나 자신을 스스로 경계하는 말이다. 아이들 사랑으로 쉼 없이 달려온 형의 세월이 정년을 변곡점으로 시 쓰기에만 몰입할 수 있는 시간이 되기를 바란다.

나승렬
1955년 전남 장성에서 태어나 전남대학교와 대학원을 졸업하였다. 대학 시절 용봉문학동인회 활동으로 시 쓰기를 시작하였고, 전교조신문 제1회 참교육문학상(시부), 서정문학 신인상을 수상하였다. 전교조 해직 기간을 포함하여 38년 동안 중고등학교 교원, 광주학생교육원장 등 학생들을 지도하는 일을 하였다. 현재 혁신 학교인 신광중학교 교장으로 재직하며, 담양 대덕 갈전리 오지마을에 귀촌하여 새와 다람쥐, 나무, 풀꽃들과 함께 살고 있다.

e-mail | nas225@hanmail.net

풀꽃들의 말씀

초판1쇄 찍은 날 | 2020년 7월 15일
초판1쇄 펴낸 날 | 2020년 7월 27일

지은이 | 나승렬
펴낸이 | 송광룡
펴낸곳 | 문학들
등록 | 2005년 8월 24일 제2005 1-2호
주소 | 61489 광주광역시 동구 천변우로 487(학동) 2층
전화 | 062-651-6968
팩스 | 062-651-9690
전자우편 | munhakdle@hanmail.net
블로그 | blog.naver.com/munhakdlesimmian

ISBN 979-11-86530-90-0 03810